Hablemos con el agua

Porque hay cosas que no se queman, para A.
E.C.

Porque la vida está en el agua, a ti, Carmen
L.S.V.

COORDINACIÓN DE LA COLECCIÓN: Mariana Mendía
PROYECTO Y COORDINACIÓN EDITORIAL: Rodolfo Fonseca
COORDINACIÓN DE DISEÑO: Javier Morales Soto
DISEÑO Y FORMACIÓN: Angie Aladro Maldonado
ASISTENCIA EDITORIAL Y CORRECCIÓN DE ESTILO: Ricardo Maldonado Gutiérrez

Hablemos con el agua

Texto D.R. © 2018, Ernesto Colavita
Ilustraciones D.R. © 2018, Luis San Vicente

PRIMERA EDICIÓN: noviembre de 2018
D.R. © 2018, Ediciones Castillo, S.A. de C.V.
Castillo ® es una marca registrada.

Insurgentes Sur 1886, Florida,
Álvaro Obregón,
C.P. 01030, Ciudad de México, México.

Ediciones Castillo forma parte del Grupo Macmillan.

www.edicionescastillo.com
Lada sin costo: 01 800 536 1777

Miembro de la Cámara Nacional
de la Industria Editorial Mexicana
Registro núm. 3304

ISBN: 978-607-540-387-8

Impreso en México/ *Printed in Mexico*

Hablemos con el agua

Ernesto Colavita

Luis San Vicente

castillo

A Macmillan Education Company

Giroscopio

Agua, tierra,

fuego y aire

Todas las cosas que existen pueden encontrarse en cuatro formas diferentes: líquidas, como el agua; gaseosas, como el aire; ardiendo, como el fuego; o sólidas, como la tierra.

El agua nos refresca, nos limpia, nos divierte. Y donde hay agua, florece la vida...

Los mares, océanos, ríos y lagunas son el hábitat de miles de especies. Algunas juguetonas, otras terroríficas, unas enormes y otras muy pequeñas.

Es genial la manera en que los peces se mueven por el agua. Gracias a sus aletas, no necesitan patas.

El pez vela, por ejemplo, puede nadar a 110 kilómetros por hora, más rápido que un caballo de carreras.

Las tortugas, por su parte, tienen
fama de ser lentas, pero en las corrientes
la historia es otra.

También hay objetos que flotan sobre el agua, y otros más que se hunden. Lo que sucede con ellos depende de su peso y volumen.

Así, un objeto ligero se hundirá si es pequeño; en cambio, uno pesado podrá flotar si es suficientemente grande.

El cálculo exacto entre peso y volumen ayuda a que los submarinos puedan navegar por las profundidades del mar, y a que los barcos viajen por la superficie.

Debes saber que casi todo nuestro cuerpo se conforma de agua, y que la mayor parte de la superficie de nuestro planeta está cubierta de dicho líquido.

Sin embargo, no toda está en los ríos, mares y océanos. A veces se encuentra a kilómetros de altura.

¡**Mira** esta secuencia! ¿Alguna vez has pensado en el recorrido que hace una pequeña gota, desde su origen hasta el instante en que sale de tu lavabo?

En estado líquido, el agua fluye fácilmente, pero en ocasiones se comporta de forma diferente. Cuando está muy caliente, hierve y se transforma en vapor.

Y al enfriarla, se hace dura como una roca. Entonces no sólo nos refresca; también se convierte en el camino para otras especies.

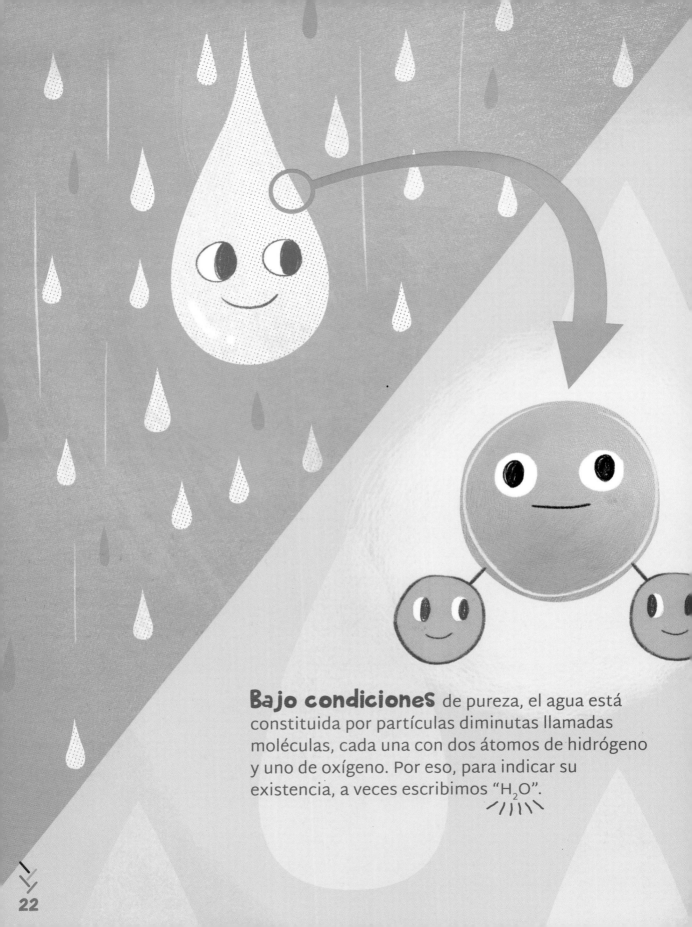

Bajo condiciones de pureza, el agua está constituida por partículas diminutas llamadas moléculas, cada una con dos átomos de hidrógeno y uno de oxígeno. Por eso, para indicar su existencia, a veces escribimos "H_2O".

En ese caso, el agua no huele, no sabe y no tiene color. No obstante, es muy fácil que en ella se mezclen ciertas sustancias, lo cual altera sus propiedades.

Al hacer limonada, por ejemplo, cambiamos su sabor, color y olor. En el caso del agua de mar, ésta contiene tanta sal que no la podríamos beber.

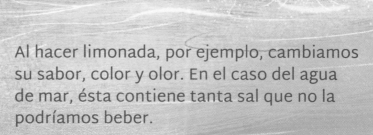

Agua, tierra, fuego y aire pueden combinarse. Cuando este último sopla de manera intensa sobre el mar o los lagos, el agua se agita y se forman olas, las cuales pueden alcanzar gran altura.

En el cielo, las nubes cargadas de agua viajan a lo largo de muchos kilómetros y toman distintas formas gracias al viento. En ocasiones, incluso, distinguimos figuras muy conocidas.

El fuego, por su parte, calienta al agua, lo que produce fenómenos increíbles. Gracias al calor producido por el sol, ésta se evapora y sube por el aire formando nubes.

Y si el mar eleva su temperatura, el efecto
es hermoso, pero aterrador: a veces llueve con
fuerza; en otros casos caen grandes tormentas;
y en ocasiones se forman huracanes.

Finalmente, la mezcla de agua y tierra puede ocasionar varios tipos de desastres.

No sólo eso: si deseáramos beber agua directamente de un río, notaríamos la presencia de tierra, la cual se iría al fondo tras dejarla reposar, un proceso conocido como decantación.

Cuando el agua contiene tierra muy fina,
podemos colarla con ayuda de una tela;
así, la primera pasará y la segunda quedará
atrapada. A esta forma de separar elementos
se le llama filtración.

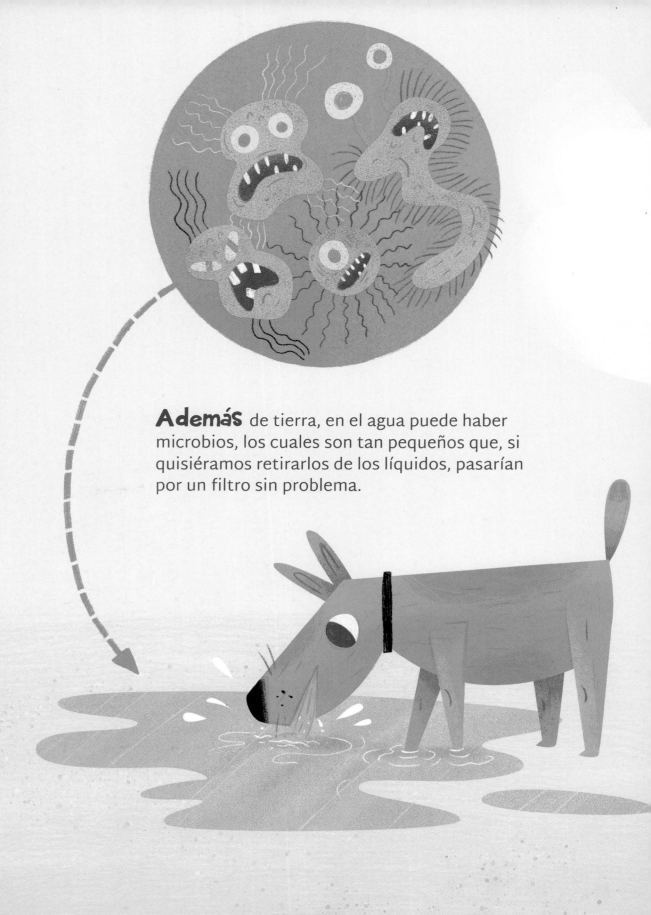

Además de tierra, en el agua puede haber microbios, los cuales son tan pequeños que, si quisiéramos retirarlos de los líquidos, pasarían por un filtro sin problema.

Al beber agua con muchos microbios podemos enfermarnos. Es por ello que no debemos consumirla de cualquier fuente. En todo caso, lo mejor es hervirla. Así, aquéllos morirán y no nos harán daño.

El agua nos refresca, nos limpia, nos divierte. Y donde hay agua, florece la vida.

# Cómo cuidar el agua

El agua no sólo es refrescante y divertida, sino también muy necesaria. En la cocina y el baño resulta indispensable. Sin embargo, ahora somos tantos seres humanos que en muchas partes del mundo no hay suficiente para todos. Es por ello que debemos cuidarla al máximo.

Con el objetivo de gastar la menor cantidad de agua posible, atiende las siguientes recomendaciones:

1 Si notas fugas en alguna llave o contenedor de agua, pide que las reparen de inmediato.

La leyenda de la diosa del agua

Acpaxapo es el nombre que los otomíes le daban a la deidad del agua, y cuenta la leyenda que ésta habitaba en las lagunas de Metepec. Ella tenía la cabeza y el torso de una hermosa mujer; sin embargo, el resto de su cuerpo cambiaba de forma dependiendo de su humor. De esta manera, cuando estaba enojada tomaba forma de serpiente, y en los momentos apacibles adquiría piernas de mujer. Asimismo, durante las épocas en que deseaba que la pesca de los

pobladores cercanos fuera buena, su
cuerpo cobraba aspecto de pez y nadaba
por el lago, dando grandes recompensas
a los pescadores.

Ellos pensaban que Acpaxapo brindaba
el equilibrio entre el agua y la tierra,
o bien, que era la madre de todos los
peces. Por eso la amaban. Lamentablemente,
las lagunas de aquel sitio se secaron
con el paso de los siglos y la diosa sirena
desapareció para siempre.